À tous les membres de la famille

L'apprentissage de la lecture est l'une des réalis...  importantes de la petite enfance. La col... pour aider les enfants à devenir des lec... Les jeunes lecteurs apprennent à lire en... fréquemment comme « le », « est » et « et... phoniques pour décoder de nouveaux m... des illustrations et du texte. Ces livres o... ...ures que les enfants aiment et la structure dont ils ont besoin pour lire couramment et sans aide. Voici des suggestions pour aider votre enfant avant, pendant et après la lecture.

Avant

Examinez la couverture et les illustrations, et demandez à votre enfant de prédire de quoi on parle dans le livre.

Lisez l'histoire à votre enfant.

Encouragez votre enfant à dire avec vous les formulations et les mots qui lui sont familiers.

Lisez une ligne et demandez à votre enfant de la relire après vous.

Pendant

Demandez à votre enfant de penser à un mot qu'il ne reconnaît pas tout de suite. Donnez-lui des indices comme : « On va voir si on connaît les sons » et « Est-ce qu'on a déjà lu un mot comme celui-là? ».

Encouragez l'enfant à utiliser ses compétences phoniques pour prononcer d'autres mots.

Lorsque l'enfant a besoin d'aide, lisez-lui le mot qui pose un problème, pour qu'il n'ait pas trop de mal à lire et que l'expérience de la lecture avec les parents soit positive.

Encouragez votre enfant à lire avec expression... comme un comédien!

Après

Proposez à votre enfant de dresser une liste de mots qu'il préfère.

Encouragez votre enfant à relire ses livres. Il peut les lire à ses frères et sœurs, à ses grands-parents et même à ses toutous. Les lectures répétées donnent confiance au jeune lecteur.

Parlez des histoires que vous avez lues. Posez des questions et répondez à celles de votre enfant. Partagez vos idées au sujet des personnages et des événements les plus amusants et les plus intéressants.

J'espère que vous et votre enfant allez aimer ce livre.

Francie Alexander,
spécialiste en lecture
Groupe des publications
éducatives de Scholastic

Illustrations de Ken Marschall
Couverture, 3, 12-13, 16-17, 19, 21, 22-23, 40-41, 43 (haut), 46, 48

1 :   Collection privée
4 :   Emory Kristof © *National Geographic* Society
6 :   Emory Kristof © *National Geographic* Society, (en médaillon) Institut océanographique Woods Hole
8 :   Collection Father Browne S.J., (en médaillon) Collection Don Lynch
11 : National Maritime Museum, Collection Ken Marschall
12 : (Médaillons de gauche à droite) Collection Ken Marschall
13 : (Médaillon de gauche) Collection Ken Marschall, (médaillon de droite) Collection privée
14 : Collection Ken Marschall
24-25 : *The Illustrated London News*
27 : Brown Brothers
28 : Collection privée
29 : *The Illustrated London News*
30 : Photo Dann Blackwood, Institut océanographique Woods Hole
33 : (En haut à gauche) Institut océanographique Woods Hole, (en haut à droite) Collection Ken Marschall, (en bas) Emory Kristof © *National Geographic* Society
35 : Emory Kristof © *National Geographic* Society
37 : (En haut à gauche et à droite) Perry Thorsvik © *National Geographic* Society, (en bas) Photo Martin Bowen
39 : Institut océanographique Woods Hole
43 : (En bas à gauche) Collection Joseph Carvalho, (en bas à droite) Institut océanographique Woods Hole
44 : Toutes les photos Robert Ballard et Martin Bowen, Institut océanographique Woods Hole
45 : Photo Robert Ballard et Martin Bowen, Institut océanographique Woods Hole

Catalogage avant publication de Bibliothèque et Archives Canada
Ballard, Robert D.
À la découverte du Titanic / Robert D. Ballard; avec Nan Froman;
illustrations de Ken Marschall; texte français de Martine Becquet.
(Je peux lire! Niveau 4. Documentaire)
Pour les 7-9 ans
ISBN 0-439-95845-8
1. Titanic (Navire à vapeur)--Ouvrages pour la jeunesse.
2. Naufrages--Atlantique Nord--Ouvrages pour la jeunesse.
3. Exploration sous-marine--Atlantique Nord--Ouvrages pour la jeunesse.
I. Froman, Nan II. Marschall, Ken III. Becquet, Martine IV. Titre.
V. Collection.
G530.T6B49514 2005   j910'.91634   C2004-906504-1

5 4 3 2   Imprimé au Canada   05 06 07 08

À la découverte du
Titanic

Robert D. Ballard
avec Nan Froman

Illustrations de Ken Marschall

Texte français de Martine Becquet

Je peux lire! — Niveau 4

Éditions
SCHOLASTIC

CHAPITRE UN
Le 25 août 1985

En entrant dans la salle de contrôle de notre bateau, j'ai demandé à mon équipe : « Vous ne voyez toujours rien? » J'ai jeté un œil à l'écran vidéo. On ne voyait rien.

Nous étions à la recherche du *Titanic*, le plus célèbre de tous les navires naufragés. À son époque, le *Titanic* était le plus grand paquebot du monde. Il possédait des salles immenses. On aurait cru un palais flottant. Certaines personnes disaient même qu'il était insubmersible.

Mais, lors de sa première traversée en avril 1912, le *Titanic* a heurté un iceberg et il a coulé. Il transportait plus de 2000 personnes. Un grand nombre d'entre elles sont mortes lorsque le bateau a sombré.

J'observe l'immersion d'*Argo*, le traîneau sur lequel est montée notre caméra sous-marine.

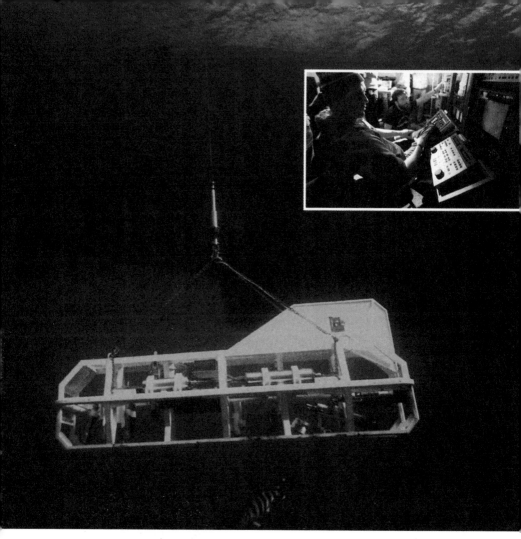

Dans la salle de contrôle, je regarde ce qu'*Argo* peut observer.

Depuis que j'étais tout jeune, je rêvais de trouver le *Titanic*. Personne ne l'avait vu depuis presque 75 ans. Il reposait à 3780 mètres au fond de l'océan Atlantique, une profondeur que les plongeurs sous-marins ne peuvent pas atteindre.

Pour chercher le *Titanic*, nous avons construit un traîneau sous-marin, appelé *Argo*. Sa caméra filmait des images vidéo tout en étant tirée au-dessus des fonds marins. Nous pouvions regarder ces images sur l'écran vidéo de notre bateau.

Nous avons commencé notre recherche là où un bateau était venu au secours des canots de sauvetage du *Titanic*. Pendant des jours, nous avons traîné *Argo* au fond de l'océan. Mais seule de la vase apparaissait à l'écran. Je me suis demandé si le navire avait été enterré par une coulée de boue souterraine.

Les yeux rivés à l'écran, je pensais aux personnes qui avaient survécu au naufrage. Les récits des survivants ne seront jamais oubliés.

Ruth Becker

CHAPITRE DEUX
Le 10 avril 1912

« Comme il est grand! » s'écrie Ruth Becker,
12 ans. L'immense coque noire du *Titanic*
est amarrée aux quais de Southampton,
en Angleterre.

La famille Becker vivait auparavant en
Inde. Mais le frère de Ruth est malade et
Mme Becker a décidé de ramener ses
enfants en Amérique. Aussi, Mme Becker,
Ruth, Marion, 4 ans, et Richard, 2 ans, ont
d'abord pris un bateau de l'Inde jusqu'en
Angleterre. Ils s'apprêtent maintenant
à embarquer sur le *Titanic* pour aller
à New York.

Ruth a hâte de monter sur le magnifique
paquebot. Sur la proue, des lettres jaunes
épellent fièrement le nom : TITANIC. Le
Titanic est le plus grand paquebot à flot.

Avec ses neuf ponts, il est aussi haut qu'un édifice de onze étages. On peut marcher pendant des kilomètres sur ses ponts et coursives.

Les Becker embarquent sur le *Titanic*. Un steward les dirige vers leur cabine.

« C'est comme une chambre d'hôtel! » s'exclame Ruth.

Ruth décide de visiter le paquebot avant son départ. Elle monte le Grand escalier. Des plafonniers plaqués or pendent du plafond. Au-dessus de sa tête, le soleil brille à travers le grand dôme de verre.

Ruth trouve les suites des passagers riches de première classe. Une des portes est ouverte. Elle jette un œil à l'intérieur. La pièce est bien plus grande que sa cabine et aussi plus élégante.

Ruth prend un ascenseur près du Grand escalier. Elle descend aussi bas que possible et découvre une piscine et des bains de vapeur.

Une cabine de deuxième classe, comme celle de Ruth Becker.

Les couloirs des ponts inférieurs du *Titanic* sont remplis de monde. Des familles transportent de grosses malles et valises. Ruth entend parler toutes sortes de langues. Ce sont les passagers de troisième classe. Un grand nombre d'entre eux espèrent recommencer une nouvelle vie en Amérique.

Un sifflement bruyant se fait entendre. Ruth retourne vite à sa cabine. Il est midi,

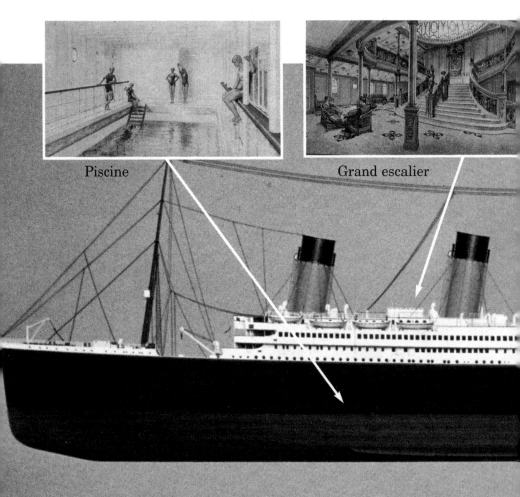

Piscine

Grand escalier

l'heure du départ. Avec sa famille, elle se dirige vers le pont des embarcations.

Des centaines de passagers applaudissent lorsque le *Titanic* quitte le quai. Ils font signe à leurs amis restés à terre. Il y a même de petits bateaux remplis de gens curieux de voir le plus grand paquebot du monde prendre la mer.

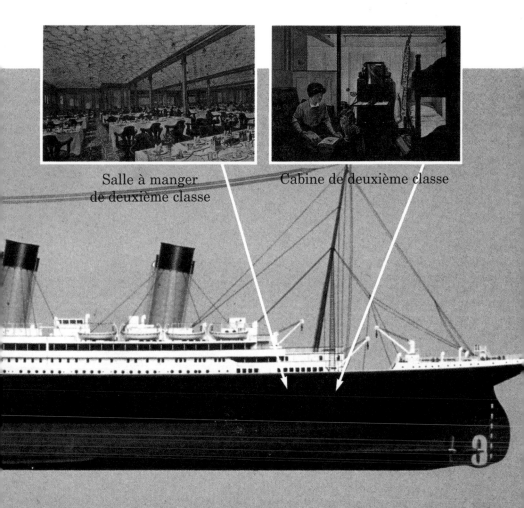

Salle à manger de deuxième classe

Cabine de deuxième classe

Les premiers jours de la traversée, le temps est beau et l'océan est calme. Les Becker prennent leurs repas dans la salle à manger de deuxième classe, assis à de longues tables avec beaucoup d'autres passagers.

Le dimanche après-midi, il commence à faire très froid. Ruth s'installe avec sa mère et d'autres passagers dans le salon.

« Nous filons bon train, dit un homme. Nous risquons même d'arriver à New York plus tôt que prévu – si nous ne rencontrons pas d'iceberg. »

« Oui, c'est ce que j'ai entendu dire », répond Mme Becker.

« J'aimerais pourtant bien voir un iceberg, continue l'homme. On m'a dit que c'était tout un spectacle. »

Le *Titanic* à quai.

Le 15 avril 1912 – 0 h 30

« Ruth, Ruth, réveille-toi! »

« Où suis-je? » se demande Ruth. Elle se frotte les yeux. Puis elle se souvient. Elle est à bord du *Titanic*. Mais pourquoi sa mère

a-t-elle l'air si effrayé?

« Lève-toi et aide les enfants à mettre leur manteau, continue sa mère. Le paquebot a heurté un iceberg! Nous devons aller sur le pont. »

Ruth est maintenant tout à fait réveillée. Elle se lève et habille vite Marion et Richard. Les Becker quittent leur cabine. Dans leur hâte, ils oublient leurs gilets de sauvetage.

La famille se joint à un groupe de passagers qui attendent de pouvoir monter sur le pont. Certains sont habillés, mais d'autres, comme Ruth et sa mère, portent des manteaux sur leurs vêtements de nuit.

« On aurait cru entendre le navire heurter du gravier », explique une femme.

Tout le monde cherche à savoir ce qui s'est passé. L'iceberg a-t-il fait de gros dégâts? Est-ce sérieux? L'eau entre-t-elle dans le navire?

Un membre de l'équipage amène les passagers vers les canots de sauvetage. « Les femmes et les enfants d'abord! » crient les gens.

On installe Marion et Richard dans le canot n° 11. « C'est tout pour ce bateau », dit un officier.

« Oh! Laissez-moi partir avec mes enfants », supplie Mme Becker. Un matelot l'aide à monter à bord. Mais il n'y a pas de place pour Ruth.

« Ruth, crie sa mère, monte dans un autre canot! »

Ruth se dirige vers le canot voisin. « Est-ce que je peux monter? » demande-t-elle à un autre officier. Il la soulève et la pose dans le canot n° 13. Ruth doit se tenir debout, tant il y a de monde.

« Descendez-le! » crie l'officier. Le canot descend par saccades vers la mer. Ruth lève la tête vers les centaines de passagers encore à bord du *Titanic*. Il n'y a pas assez de canots de sauvetage pour tous.

Le canot de Ruth atteint l'eau sans incident. Mais personne ne sait quoi faire ni où aller. Les passagers demandent à un des membres d'équipage d'être leur capitaine.

« Ramez vers ces lumières que l'on voit au loin, ordonne-t-il. C'est peut-être un bateau qui peut nous sauver. »

Ruth se retourne vers le *Titanic*. Des fusées, lancées à partir du navire, font éclater une pluie d'étoiles dans le ciel. Ce sont des signaux de détresse qui appellent à l'aide tout bateau se trouvant dans les environs.

La proue du *Titanic* prend l'eau. Ruth regarde les gens encore à bord. Ils essaient d'aller vers la poupe, l'arrière du bateau. Les lumières du paquebot s'éteignent. Soudain, on entend un énorme grondement, comme le tonnerre. Le *Titanic* se coupe en deux. Ruth voit des gens sauter dans la mer.

La proue disparaît sous l'eau. Pendant
quelques instants, la poupe se tient droite

dans l'océan, comme une immense baleine.
Puis le *Titanic* disparaît sous les vagues.

CHAPITRE QUATRE

Le 15 avril 1912 – 3 h 00

« Demain, la mer sera couverte de bateaux »,
dit un membre de l'équipage dans le canot
de Ruth. « Ils viendront nous chercher de
partout. »

Les canots de sauvetage du *Titanic*
dérivent sur les eaux froides et calmes de

l'océan. Pour que les canots ne se perdent pas, les survivants s'appellent les uns les autres dans le noir.

Ruth entend une fusée. Au loin, elle aperçoit une faible lumière verte. Est-ce un bateau venu à leur secours? Tous ceux qui possèdent un bout de papier l'allument avec une allumette. Ils brandissent ces torches haut dans les airs. Peut-être les verra-t-on.

Les passagers qui sont aux avirons rament vers les lumières. En s'approchant, ils peuvent voir qu'elles proviennent d'un grand navire.

L'océan est maintenant plus agité. Ruth est trempée par l'eau froide qui l'éclabousse.

Finalement, le canot accoste le long du navire. Les membres de l'équipage font descendre un siège de sauvetage. Les mains de Ruth sont trop engourdies pour s'agripper au cordage. Quelqu'un doit l'attacher et l'équipage la tire à bord. Ruth est soulagée de sentir le pont du bateau, ferme, sous ses pieds.

Ruth monte sur le pont supérieur. La plupart des autres canots sont arrivés, mais elle ne trouve pas sa famille.

Puis Ruth sent que quelqu'un lui tape sur l'épaule. « Est-ce que tu t'appelles Ruth Becker? lui demande une femme. Ta mère te cherche. » Elle entraîne Ruth vers la salle à manger de deuxième classe.

Mme Becker, Marion et Richard la serrent fort dans leurs bras. Les yeux de Ruth se remplissent de larmes de soulagement.

Dans un canot de sauvetage, des passagers du *Titanic* se préparent à monter à bord du bateau venu à leur secours.

Pendant plusieurs heures, l'équipage
du bateau sauveteur, le *Carpathia*, fouille
la mer. Mais on ne trouve aucun autre
survivant.

Plusieurs jours plus tard, le *Carpathia*
arrive dans le port de New York. Des
milliers de personnes attendent sous la pluie

battante d'accueillir les survivants. Ruth entend les cris de joie de ceux qui ont retrouvé leurs proches. Mais de nombreux autres, tristes, cherchent des membres de leur famille ou des amis qui sont morts noyés.

Les survivants du *Titanic* arrivent à New York.

CHAPITRE CINQ
Le 31 août 1985

Presque 75 ans s'étaient écoulés depuis
le naufrage du *Titanic*. Et je cherchais
maintenant son épave avec mon équipe.
Chaque jour qui s'écoulait me rendait encore
plus impatient de trouver l'épave perdue.

Le temps commençait à nous manquer.
Nous n'avions pas encore trouvé une seule
trace de l'épave. Nous nous demandions
parfois si le *Titanic* était vraiment au fond
de l'océan.

Tard, une nuit, Stu Harris nous a montré
l'écran vidéo. « Là, je vois quelque chose. »
L'équipage, à moitié endormi, a scruté
l'écran. On y voyait des objets de fabrication
humaine.

Notre bateau de recherche, le *Knorr*.

« Bingo! », s'est écrié Stu. Les caméras d'*Argo* avaient filmé une immense chaudière au fond de l'eau. Les chaudières servaient à faire marcher les moteurs de bateaux, en brûlant du charbon. Cette chaudière devait appartenir au *Titanic*!

Puis nous avons vu des morceaux de rambardes et d'autres débris. Enfin, mon rêve allait se réaliser. Le *Titanic* devait être tout proche. Tout le monde se serrait la main et se félicitait en se tapant dans le dos.

Quelqu'un nous a fait remarquer qu'il était 2 h du matin, presque l'heure à laquelle le *Titanic* avait coulé. Nous étions à la fois heureux et tristes. Nous avons gardé le silence à la mémoire de ceux qui étaient à bord du paquebot, il y a si longtemps.

Notre premier passage avec *Argo* juste au-dessus de l'épave était hasardeux. Nous ne savions pas où se trouvait la partie principale du paquebot. Je craignais qu'*Argo* ne s'écrase contre l'épave.

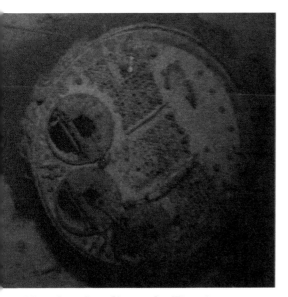

Une des chaudières du *Titanic* au fond de l'océan.

Voici ce à quoi ressemblaient les grandes chaudières avant qu'elles ne soient installées sur le *Titanic*.

Je fête la découverte du *Titanic*, avec l'équipage.

Tout à coup, l'immense coque du navire est apparue. Le *Titanic* était assis, posé au fond de l'océan!

Les jours suivants, nous avons fait d'importantes découvertes. Le paquebot s'était cassé en deux sections. Nous avons vu de grands trous sur le pont de la proue, à l'emplacement des cheminées.

Mais de nombreux mystères persistaient à la fin de notre mission. Comment était le paquebot à l'intérieur? Où se situait la brèche créée par l'iceberg? Quels objets étaient éparpillés autour du paquebot? Seule une autre visite du *Titanic* nous permettrait de répondre à ces questions.

Remontée de notre caméra sous-marine après avoir photographié le *Titanic* à presque 4 kilomètres de profondeur.

CHAPITRE SIX
Le 13 juillet 1986

Un an plus tard, nous étions prêts à explorer le *Titanic* avec *Alvin*, un sous-marin pouvant transporter trois personnes. J'ai enlevé mes chaussures et je suis monté à bord.

Nous étions à l'étroit dans la petite cabine d'*Alvin*. Nous avons entrepris notre descente vers le fond. Il a alors commencé à faire plus froid et plus noir dans le petit sous-marin.

Lorsque *Alvin* a atteint le fond, j'ai regardé par mon hublot. Où était le *Titanic*? Nous ne pouvions voir que sur une courte distance dans le noir des profondeurs de l'océan.

Le pilote a fait virer *Alvin* et nous avons glissé sur le fond. J'ai regardé par le hublot : le fond marin avait l'air très étrange.

Il semblait remonter abruptement. Mon

Je monte à bord de notre petit sous-marin, *Alvin*.

Le sous-marin *Alvin* est mis à l'eau.

Au travail, à bord d'*Alvin*, lors de la descente vers l'épave.

cœur s'est mis à battre plus fort.

Soudain, un énorme mur d'acier noir a surgi devant nous. C'était le *Titanic*!

Le jour suivant, nous avons exploré la section de la proue du paquebot. Sa partie inférieure était enterrée dans la vase. Mais je pouvais voir la grosse ancre qui pendait encore à sa place.

Nous avons remonté lentement le flanc du paquebot. J'étais surpris de voir que les vitres de nombreux hublots étaient intactes. J'ai cherché les lettres jaunes composant le nom TITANIC. Mais elles étaient couvertes de rouille.

Alvin s'est ensuite déplacé au-dessus du pont avant. Les planches avaient été mangées par des millions de petits vers marins.

Nous sommes passés au-dessus de la passerelle du paquebot. C'est de là que le capitaine et ses officiers avaient manœuvré le *Titanic*.

Extrémité de la proue du *Titanic*.

Nous nous sommes dirigés vers le Grand escalier. Le grand dôme de verre avait disparu. Pour le petit robot *Jason Junior*, c'était l'endroit parfait pour accéder à l'intérieur du bateau. Nous pourrions alors filmer en gros plans.

Le lendemain matin, *Alvin* s'est posé près de l'ouverture du Grand escalier. Enfin, *Jason Junior*, aussi appelé *JJ*, allait pouvoir voir à l'intérieur.

Le pilote de *JJ* a fait sortir lentement le robot de son petit garage à l'avant d'*Alvin*. *JJ* a flotté au-dessus du trou où se situait le Grand escalier. Puis le petit robot est descendu dans le paquebot et il a disparu. Dans notre sous-marin, nous avons observé sur l'écran vidéo ce que découvrait *JJ*.

La proue du *Titanic* repose au fond de l'océan.

Une salle est apparue. « Regardez ce chandelier! » s'est exclamé le pilote de *JJ*. C'était un des luminaires qui avaient éclairé Ruth Becker lorsqu'elle avait pris le Grand escalier. Sa partie métallique était encore brillante et lustrée.

Les jours suivants, nous avons exploré la plus grande partie de l'épave. *JJ* a observé de près le nid-de-pied. C'est de ce poste d'observation que la vigie avait aperçu l'iceberg quelques secondes avant qu'il n'entre en collision avec le paquebot. Nous avons cherché sur la proue le trou fait par l'iceberg, mais il était recouvert de vase.

Je me demandais ce qu'il pouvait y avoir au fond de l'océan entre les deux sections de l'épave. Des milliers d'objets étaient tombés du *Titanic* lorsqu'il s'était coupé en deux. Nous en avons trouvé beaucoup, posés là où ils étaient tombés. C'était comme visiter un musée sous-marin.

Alvin attend, alors que *JJ* explore les ruines du Grand escalier.

Le Grand escalier en 1912.

Du corail pousse sur un des plafonniers qui pend encore non loin du Grand escalier.

Une baignoire couverte de rouille.

Une partie d'un des bancs
du pont des embarcations.

La poignée du coffre-fort
du *Titanic* est encore luisante.

Il y avait des casseroles et des poêles à frire, des tasses et des soucoupes, des bottes, des baignoires, des valises et même un coffre-fort à la poignée encore lustrée.

Avant de quitter le *Titanic*, nous avons placé deux plaques de métal sur ses ponts. Celle de la poupe est à la mémoire de tous les passagers disparus. Celle de la proue demande à toute autre personne qui visite le *Titanic* de le laisser en paix.

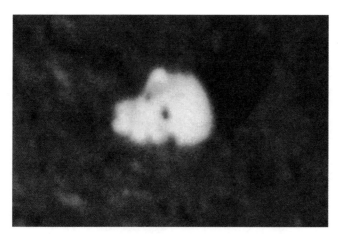

Cette tête de porcelaine est le seul reste
d'une poupée coûteuse.

Épilogue

J'ai été désolé de voir s'achever nos voyages vers le *Titanic*. Mais j'étais fier de ce que nous avions accompli. Nous avions trouvé le paquebot et nous avions pris de superbes photos. Ainsi, partout dans le monde, les gens pourraient enfin « visiter » l'épave en regardant les images prises par *JJ*. Ils penseraient alors aux personnes à bord du *Titanic* – à celles qui avaient perdu la vie et à celles qui avaient survécu.

Ruth Becker et sa famille ont eu de la chance. Ruth a grandi et est devenue enseignante. Elle s'est mariée et a eu trois enfants. Comme de nombreux survivants du *Titanic*, Ruth ne voulait pas parler du naufrage. Ses enfants ignoraient même qu'elle avait été à bord du paquebot.

JJ observe de près une des ancres du *Titanic*.

Elle a finalement commencé à parler de son expérience vers la fin de sa vie. À 85 ans, Ruth a vu des images de l'épave au fond de l'eau. À 90 ans, elle a voyagé en mer pour la première fois depuis le naufrage du *Titanic*. Elle est morte, plus tard, la même année.

Après notre visite, d'autres personnes sont descendues voir le *Titanic*. Elles ont remonté de nombreux objets de l'épave : le téléphone du navire, la cloche du nid-de-pied, de la vaisselle, un sac en cuir rempli de bijoux et d'argent, et des centaines d'autres objets.

Cette nouvelle m'a beaucoup attristé. On devrait laisser le *Titanic* en paix. C'est un monument à la mémoire de ceux qui ont perdu la vie lors de cette nuit froide et étoilée, il y a bien longtemps.